BoE 4403

BRATSCHISSIMO
– Viola-issimo –

Klassische Vortragsstücke
bearbeitet für
Viola und Klavier
von

Classical Pieces
arranged for
Viola and Piano
by

SÁNDOR JÁNOSI

Bosworth Edition

BOE 4403

Bratschissimo
Klassische Vortragsstücke für Viola und Klavier
Siciliana

Giovanni Battista Pergolesi
1710 - 1736
Arr.: Sándor Jánosi

Gavotte

François-Joseph Gossec
1734-1829
Arr .: Sándor Jánosi

Serenade

Franz Schubert
1797 - 1828
Arr .: Sándor Jánosi

Melodie

Anton Rubinstein
1829 - 1894
Arr.: Sándor Jánosi

Träumerei

Robert Schumann
1810-1856
Arr .: Sándor Jánosi

Andante espressivo

BoE 4403/1

BRATSCHISSIMO
– Viola-issimo –

Klassische Vortragsstücke	Classical Pieces
bearbeitet für	arranged for
Viola und Klavier	Viola and Piano
von	by

SÁNDOR JÁNOSI

Viola

Bosworth Edition

Bratschissimo

Klassische Vortragsstücke für Viola und Klavier

Siciliana

Giovanni Battista Pergolesi
1710 - 1736
Arr.: Sándor Jánosi

Viola
Gavotte

François-Joseph Gossec
1734 - 1829
Arr .: Sándor Jánosi

Viola

Serenade

Franz Schubert
1797 - 1828
Arr .: Sándor Jánosi

Viola
Melodie

Anton Rubinstein
1829 - 1894
Arr .: Sándor Jánosi

Viola

Träumerei

Robert Schumann
1810 -1856
Arr .: Sándor Jánosi

Viola
Lied zum Abendstern
aus der Oper „Tannhäuser"

Richard Wagner
1813 - 1883
Arr .: Sándor Jánosi

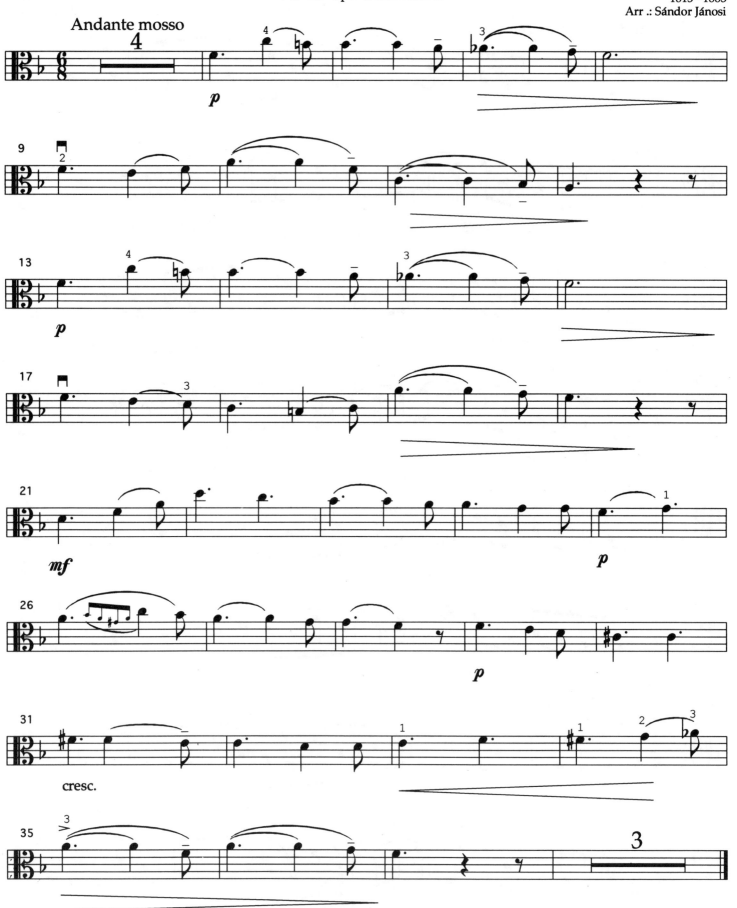

Viola
Intermezzo
aus der Oper „Carmen"

Georges Bizet
1838 - 1875
Arr.: Sándor Jánosi

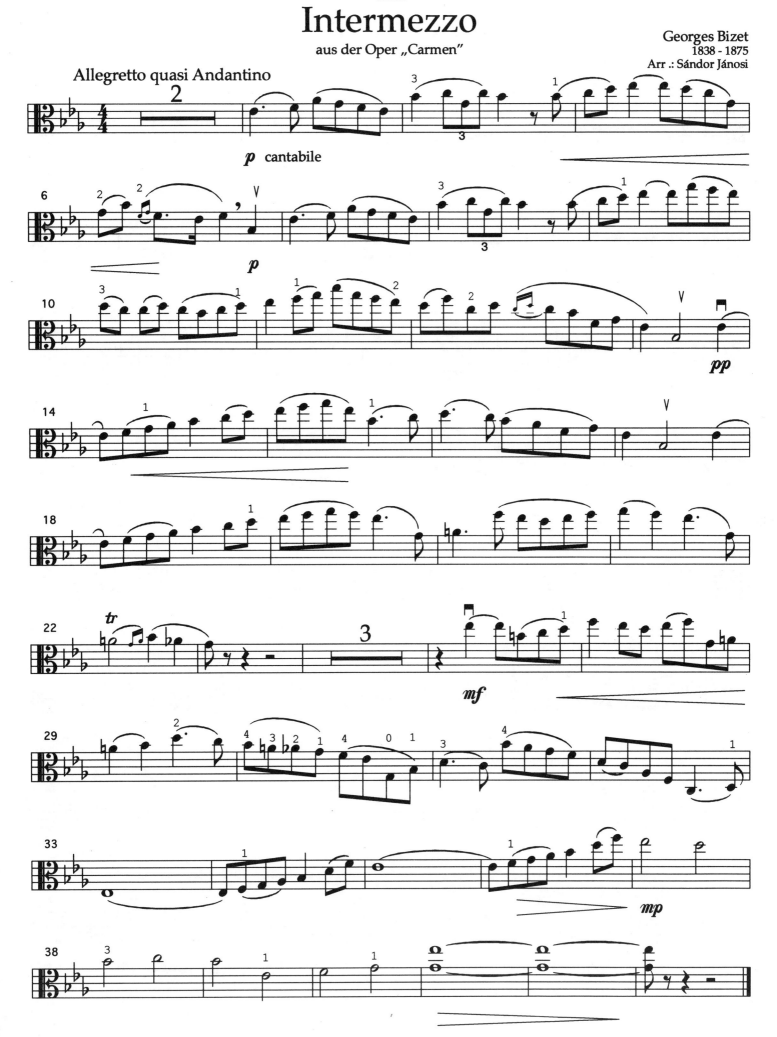

Viola

Serenata

Enrico Toselli
1883 - 1926
Arr .: Sándor Jánosi

Viola

Intermezzo sinfonico

aus der Oper „Cavalleria Rusticana"

Pietro Mascagni
1863 - 1945
Arr.: Sándor Jánosi

5/05(54633)
Printed in England

Lied zum Abendstern

aus der Oper „Tannhäuser"

Richard Wagner
1813 - 1883
Arr .: Sándor Jánosi

Andante mosso

sempre simile

Intermezzo

aus der Oper „Carmen"

Georges Bizet
1838 - 1875
Arr .: Sándor Jánosi

Allegretto quasi Andantino

Serenata

Enrico Toselli
1883 - 1926
Arr .: Sándor Jánosi

Allegretto

Intermezzo sinfonico

aus der Oper „Cavalleria Rusticana"

Pietro Mascagni
1863 - 1945
Arr .: Sándor Jánosi